Llyfr yr Awyr Agored

RILY

Llyfr yr Awyr Agored

gan Alice James ac Emily Bone

Darluniau gan Briony May Smith
Addasiad gan Elin Meek

Dyluniwyd gan Helen Edmonds ac Anna Gould

Ymgynghorydd awyr agored: Laura McConnell

Cynnwys

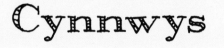

Ewch i **www.rily.co.uk** i weld ein casgliad
o lyfrau am natur a'r byd o'n cwmpas.
Beth am ddarganfod mwy o wybodaeth
ar **cy.wikipedia.org**?

Yr awyr agored

Ble bynnag y byddwch a beth bynnag yw'r tywydd, mae pethau i'w gweld, i'w darganfod a'u gwneud yn yr awyr agored. Gall hynny fod ger eich cartref, ar lan y môr neu yn nyfnder y goedwig. Dylai fod oedolyn gyda chi bob amser.

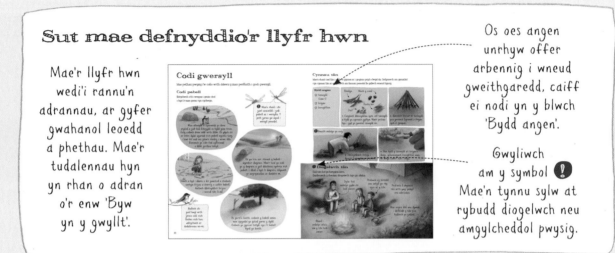

Sut mae defnyddio'r llyfr hwn

Mae'r llyfr hwn wedi'i rannu'n adrannau, ar gyfer gwahanol leoedd a phethau. Mae'r tudalennau hyn yn rhan o adran o'r enw 'Byw yn y gwyllt'.

Os oes angen unrhyw offer arbennig i wneud gweithgaredd, caiff ei nodi yn y blwch 'Bydd angen'.

Gwyliwch am y symbol ❗ Mae'n tynnu sylw at rybudd diogelwch neu amgylcheddol pwysig.

Mae mynd i'r awyr agored yn hwyl ac yn hawdd - does dim angen unrhyw offer arbenigol arnoch. Ond os ydych chi allan drwy'r dydd neu'n mynd yn bell o'ch cartref, mae'n syniad da i chi baratoi. Dyma rai pethau defnyddiol y gallech chi fod eu heisiau.

Het haul os yw hi'n heulog

Map

Tarpolin i eistedd arno, neu i orchuddio lloches

Dŵr

Rhywbeth i'w fwyta

❗ Cadw'n ddiogel

Mae'n bwysig cadw'n ddiogel pan fyddwch chi yn yr awyr agored. Darllenwch y cyngor ar dudalennau 8-9 ar sut i amddiffyn eich hun - a'r amgylchedd - pan fyddwch chi'n mynd ar grwydr.

Peidiwch byth â mynd i unman heb gwmni oedolyn cyfrifol.

❗ Dylai fod gan rywun yn eich grŵp ffôn symudol sydd â batri llawn bob amser, rhag ofn y bydd argyfwng yn codi.

Ewch â llyfr nodiadau a phensil gyda chi i dynnu lluniau'r planhigion a'r anifeiliaid rydych chi'n eu gweld, neu i wneud nodiadau amdanyn nhw.

Côt law os yw hi'n debygol o fwrw glaw.

Het gynnes rhag ofn i chi oeri.

Esgidiau cerdded sy'n addas ar gyfer tywydd gwlyb, gyda digon o afael.

Yn ôl yr anturiaethwr enwog Alfred Wainwright, "Does dim o'r fath beth â thywydd gwael, dim ond dillad anaddas."

❗ Gwarchod byd natur

Pan fyddwch chi yn yr awyr agored, mae hi'n bwysig gofalu am yr amgylchedd. Dyma rai awgrymiadau:

Peidiwch â chyffwrdd ag anifeiliaid gwyllt na'u nythod. Gallech chi eu difrodi – neu gael eich pigo neu eich brathu.

Os yw eich llwybr yn croesi tir fferm sydd ag anifeiliaid arno, cerddwch yn dawel iawn a pheidiwch â chodi ofn arnyn nhw.

CAEWCH Y GÂT

Peidiwch â chasglu unrhyw blanhigion neu flodau. Gallech chi ladd y planhigyn cyfan, ac mae hyn yn erbyn y gyfraith mewn rhai mannau.

Dilynwch y rheolau lleol, fel cau gatiau, hyd yn oed os nad oes arwydd arnyn nhw. Gwnewch yn siŵr bob amser fod caniatâd gyda chi i fod yn yr awyr agored. Cofiwch, does dim hawl gyda chi i fynd i bobman.

Rhowch bethau'n ôl lle cawsoch chi nhw, ewch â'ch sbwriel gyda chi, a gadewch bopeth fel yr oedd.

Mae rhai adrannau o'r llyfr hwn yn dangos i chi sut mae dal creaduriaid bach i gael golwg fanwl arnyn nhw. Cofiwch eu rhoi nhw'n ôl lle cawsoch chi nhw bob amser, yn ofalus, mewn man cysgodol.

❗ Crwydro'n ddiogel

Os ydych chi yng nghefn gwlad, neu ar lan afon neu'r môr, dylech chi ddilyn y cyngor hwn er mwyn cadw'n ddiogel.

Peidiwch â mynd yn agos at ddŵr mewn tywydd stormus. Gall tonnau fod yn uchel iawn a gall afonydd orlifo'n gyflym. Gall y llanw ddod i mewn yn sydyn, hefyd.

Os nad ydych chi'n gwybod pa mor ddwfn yw'r dŵr, peidiwch â chamu i mewn iddo.

Gall llethrau creigiog a thorlannau serth fod yn llithrig ac yn ansefydlog, felly peidiwch â dringo arnyn nhw.

Ewch ag oedolyn gyda chi bob amser.

Ewch â photel o ddŵr gyda chi. Peidiwch ag yfed o nant neu afon – gallai fod bacteria yno i'ch gwneud chi'n sâl.

Arhoswch ar lwybrau er mwyn bod yn ddiogel, a pheidiwch â gwneud niwed i blanhigion neu anifeiliaid.

Os yw hi'n mynd i fod yn heulog, rhowch eli haul ar eich croen bob amser.

Mae dŵr yn gorchuddio dros ddwy ran o dair o arwyneb y byd, ac mae angen dŵr ar bob planhigyn ac anifail i fyw, felly dyma un o'r mannau gorau i weld bywyd gwyllt.

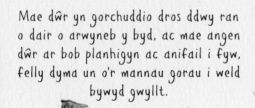

Fforio mewn pyllau dŵr, mewn afonydd ac yn y môr

Mae glan yr afon a glan y môr yn gartref i bob math o greaduriaid a phlanhigion. Maen nhw hefyd yn fannau gwych i edrych ar sut mae dŵr yn symud ac yn llifo. Ar y tudalennau nesaf mae llond lle o gemau a gweithgareddau i'w gwneud wrth ymyl dŵr.

Ar lan y môr

☆ Sgimio carreg
☆ Dilyn trywydd y llanw
☆ Cranca
☆ Archwilio pwll glan môr
☆ Chwarae gemau glan môr

Ar lan pwll dŵr a'r afon

☆ Dipio i weld creaduriaid
☆ Codi argae
☆ Rasio brigau o dan bont
☆ Adeiladu rafft fach
☆ Profi dyfnder afon

Ar lan y môr

Mae llawer o bethau i chwilio amdanyn nhw ar lan y môr. Gallwch archwilio pwll glan môr, dal cranc neu hela am bethau ar y traeth.

Pyllau glan môr

Pyllau bach ar lan y môr yw pyllau glan môr neu byllau'r llanw. Dyma rai o'r gwahanol greaduriaid y gallech chi eu gweld ynddyn nhw.

Beth am drio dipio mewn pwll cregyn? Edrychwch ar dudalen 18.

Cregyn gleision

Anemoni môr

Berdysen

Cranc bwytadwy

Cranca

Defnyddiwch abwyd i ddal cranc o bwll er mwyn edrych yn fanwl arno.

Bydd angen:

☆ darn o linyn yr un hyd â'ch braich, o leiaf

☆ carreg fach

☆ abwyd – darn bach o fara, caws, pysgod neu facwn

☆ bwced yn llawn heli (dŵr y môr), wedi'i roi yn y cysgod

1. Clymwch y garreg a'r darn o abwyd wrth un pen o'r llinyn. Lapiwch y pen arall sawl gwaith am eich bys.

2. Rhowch yr abwyd yn y dŵr. Byddwch chi'n teimlo plwc pan fydd cranc yn cnoi'r abwyd. Codwch y llinyn yn ofalus.

3. Rhowch y cranc yn y bwced ac edrychwch arno. Yna, yn ofalus, arllwyswch y cranc a'r dŵr yn ôl i'r pwll.

Mae'r marciau ar ochr waelod y cranc yn dangos a yw'n wryw neu'n fenyw.

Gwryw

Benyw

Hela ar lan y môr

Arhoswch tan y bydd y llanw ar drai ('allan') ac ewch am dro ar hyd glan y môr. Edrychwch i weld beth mae'r môr wedi'i olchi i'r lan.

Ysgrifennwch restr, tynnwch lun, neu gwnewch fraslun o'r hyn rydych chi wedi'i weld.

! Peidiwch â mynd ag unrhyw beth rydych chi'n ei ganfod ar y traeth oddi yno – gallai fod yn gartref i greadur môr.

Edrychwch am gerrig sydd â siapiau neu farciau diddorol.

Edrychwch i weld sawl math gwahanol o gregyn, broc môr neu wymon y gallwch ddod o hyd iddyn nhw. Ceisiwch ddarganfod beth oedd yn byw yn y cregyn.

Gwymon

Cregyn malwod môr o'r enw gwichiaid

Asgwrn creadur môr o'r enw môr–gyllell

Pren sydd wedi'i olchi i'r lan yw broc môr.

Malwoden fôr fawr sydd â chragen sgleiniog yw clust fôr.

Ar y tywod

Mae marciau ar y tywod yn gallu golygu bod creadur wedi bod yno, neu fod un wedi'i gladdu o dan yr wyneb.

Olion cranc tywod

Mwydod mawr sy'n byw ar y traeth yw abwyd tywod. Maen nhw'n gadael y siapiau hyn wrth dyllu o dan y tywod.

Dyma dyllau hercwyr tywod – creaduriaid sy'n byw yn y tywod yn ystod y dydd, ond sy'n dod i'r wyneb yn y nos i fwydo.

Ôl troed aderyn glan môr

13

Gweithgareddau glan môr

Pan fyddwch chi ar lan y môr, gallwch chi chwarae gemau a dysgu am y llanw hefyd.

Sgimio cerrig

Taflwch garreg ar draws y môr a cheisiwch wneud iddi sgimio (neu sboncio) oddi ar yr arwyneb nifer o weithiau cyn iddi suddo.

Bydd angen:

☆ cerrig gwastad, crwn

☆ môr llonydd heb donnau mawr

❗ Gwnewch yn siŵr nad oes nofwyr nac anifeiliaid o'ch blaen cyn i chi sgimio cerrig.

Mae cerrig sgimio da yn grwn, yn wastad ac yn llyfn, fel hyn.

1. Chwiliwch am gerrig a fydd yn sgimio'n dda. Casglwch ddigon fel bod pentwr gennych wrth law.

2. Sefwch ar ymyl y dŵr. Daliwch garreg rhwng eich bawd a'ch bys blaen, gan roi eich bys amdani.

3. Trowch fel bod eich ochr yn wynebu'r môr a thaflwch y garreg, gan droi eich arddwrn i-droelli'r garreg ar yr un pryd.

Her

Beth am roi her i ffrind, a gweld pwy all gael y nifer uchaf o sbonciau ar ôl taflu 10 gwaith? 88 sbonc am un tafliad yw'r record!

Dartiau tywod

Gan ddefnyddio darn o bren neu eich bys, gwnewch gylch bach yn y tywod – dyna ganol y bwrdd dartiau. Wedyn gwnewch bum cylch o'i amgylch. Codwch garreg o lan y môr. Cerddwch bum cam yn ôl o'r cylch mwyaf. Ceisiwch daflu'r garreg mor agos ag sy'n bosibl at y canol.

Rhowch sgôr i bob cylch – 1 am y cylch mwyaf, yna 2, 4, 6 a 10 am y canol. Mae pob chwaraewr yn taflu bum gwaith, a'r un sydd â'r sgôr uchaf sy'n ennill.

Llenwi bwced

Rhannwch yn dimau, gyda bwced i bob tîm. Mae pob tîm yn rhoi ei fwced ar y traeth. Mae'r chwaraewyr yn cymryd cwpan, ac yna'n sefyll mewn rhes wrth ymyl eu bwced. Mae un chwaraewr yn gweiddi 'Ewch!' Mae'r chwaraewr cyntaf o bob tîm yn rhedeg i'r môr, yn llenwi ei gwpan, yna'n rhedeg yn ôl i'w arllwys i mewn i'r bwced. Mae'r person nesaf yn y tîm yn mynd, ac yn y blaen. Y tîm cyntaf i lenwi'r bwced sy'n ennill.

Bydd angen:

☆ o leiaf ddau dîm sydd â dau neu ragor o bobl
☆ bwced i bob tîm
☆ cwpan i bob chwaraewr

Beth am ddefnyddio eich dwylo yn lle cwpan, fel bod y gêm yn fwy anodd?

Dilyn trywydd y llanw

Mae'r môr yn gallu bod yn bell oddi wrthoch chi, neu'n agos atoch chi, ar adegau gwahanol. Llanw yw'r enw ar hyn. Dyma sut mae dod i wybod os yw'r llanw'n 'dod i mewn' neu ar drai:

1. Pan fyddwch chi'n cyrraedd y traeth, rhowch frigyn yn y tywod wrth ymyl y dŵr.

2. Ewch yn ôl 30 munud wedyn. Os oes dŵr dros y brigyn, mae'r llanw'n dod i fyny'r traeth, neu'n 'dod i mewn'.

Os yw'n sych a'r dŵr yn bellach i ffwrdd, mae'r llanw 'ar drai'.

3. Rhowch frigyn ar ymyl y dŵr bob 30 munud. Os yw'r môr yn dechrau newid cyfeiriad, rydych chi wedi cyrraedd llanw 'uchel' neu 'isel'.

Llanw isel yw'r pellaf y mae'r môr ar drai.
Llanw uchel yw'r pellaf y mae'n dod i mewn.

Ar lan yr afon

Mae afonydd yn llifo'r holl ffordd o'r mynyddoedd i'r môr. Beth am dreulio amser ar lan afon ac edrych ar yr holl blanhigion a'r anifeiliaid sy'n byw yno?

! Gall afonydd fod yn beryglus. Rhaid bod oedolyn gyda chi bob amser a pheidiwch â cheisio croesi afon. Cadwch draw o lannau serth hefyd (darllenwch am ddiogelwch ar dudalen 9).

Ydy'r afon yn syth, yn greigiog ac yn llifo'n gyflym, neu a yw hi'n araf ac yn ddwfn? Mae afon yn llifo'n arafach ac yn ymdroelli mwy wrth ddod yn nes at y môr.

Chwiliwch am adar y dŵr a'u nythod.

Adeiladwch rafft fach (cewch wybod sut ar y dudalen gyferbyn).

Chwiliwch am blanhigion ac anifeiliaid yn y dŵr ac ar y lan.

Gallwch chi wneud teclyn i brofi pa mor ddwfn yw'r afon. Gwnewch hyn mewn gwahanol fannau ar hyd yr afon, gan ddefnyddio'r camau isod.

Pa mor ddwfn?

Bydd angen:
- ☆ darn o bren
- ☆ darn o linyn yr un hyd â'ch coes
- ☆ carreg fach

1. Clymwch y llinyn wrth y pren. Yna, clymwch y garreg fach wrth ben y llinyn.

2. Daliwch yn y pren a gollyngwch y garreg i'r afon. Os nad yw hi'n cyrraedd y gwaelod, mae'r afon yn ddwfn iawn.

Gwlyb hyd fan hyn

3. Mae rhan wlyb y llinyn yn dangos pa mor ddwfn yw'r afon.

Rafftiau brigau

Adeiladwch rafft fach o frigau a llinyn, yna rhowch hi i arnofio ar y dŵr.
Gallech chi ychwanegu dec a hwyl i'w gwneud hi'n gwch bach.

Bydd angen:

☆ pedwar brigyn

☆ pedwar darn o linyn

☆ siswrn

☆ rhisgl, mwsogl a dail

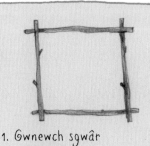

1. Gwnewch sgwâr o'r pedwar brigyn.

2. Clymwch y darn cyntaf o linyn am un brigyn, wrth un o'r corneli.

3. Lapiwch y llinyn ddwywaith am y ddau frigyn, fel hyn.

4. Lapiwch y llinyn ddwywaith y ffordd arall hefyd. Yna, clymwch ddau ben y llinyn yn sownd wrth ei gilydd. Torrwch unrhyw linyn sydd dros ben.

5. Gwnewch yr un peth ar bob cornel. Yna, rhowch eich rafft ar y dŵr. Pa ffordd mae'r afon yn llifo?

Dyma rai syniadau er mwyn troi rafft yn gwch:

Gwnewch hwyliau â dwy ddeilen.

Clymwch ragor o frigau wrth y rafft i lenwi'r gwaelod.

Bydd rhai dail yn gwneud hwyliau gwell nag eraill. Arbrofwch gyda dail mawr cadarn neu sawl deilen fach. Pa un sy'n gwneud i'r cwch deithio gyflymaf?

Ychwanegwch orchudd o fwsogl.

Dewch o hyd i ddarn o risgl i wneud dec.

17

Dipio a chodi argae

Os ydych chi ar lan afon neu bwll dŵr, beth am geisio darganfod pa greaduriaid sy'n byw o dan y dŵr? Sylwch beth sy'n digwydd pan fyddwch chi'n codi argae hefyd.

Dipio yn y dŵr

Dipiwch rwyd i mewn i'r dŵr a'i throi mewn cylch bach. Codwch y rhwyd o'r dŵr ac arllwyswch unrhyw beth rydych chi'n ei ddal i dwba er mwyn edrych arno'n fanwl.

Bydd angen:

☆ rhwyd

☆ twba, fel hen dwba hufen iâ, wedi'i lenwi â dŵr y pwll

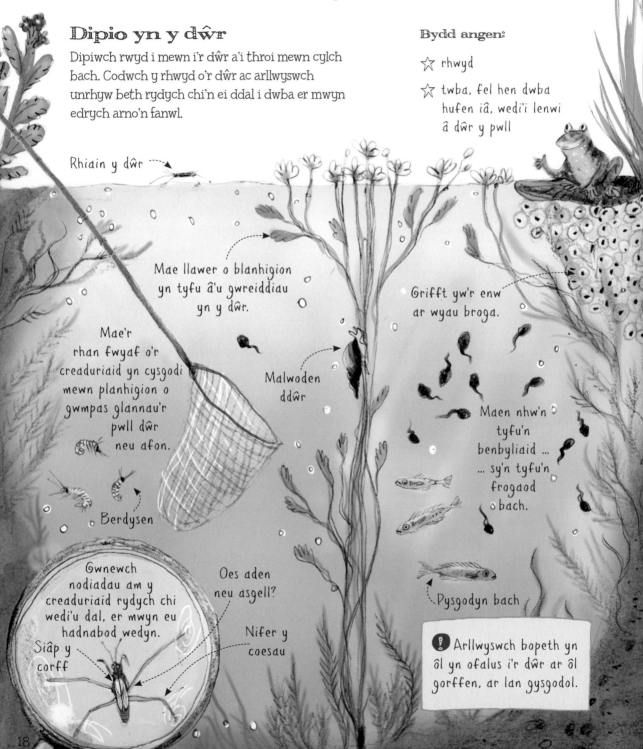

Rhiain y dŵr

Mae llawer o blanhigion yn tyfu â'u gwreiddiau yn y dŵr.

Grifft yw'r enw ar wyau broga.

Mae'r rhan fwyaf o'r creaduriaid yn cysgodi mewn planhigion o gwmpas glannau'r pwll dŵr neu afon.

Malwoden ddŵr

Maen nhw'n tyfu'n benbyliaid ... ... sy'n tyfu'n frogaod o bach.

Berdysen

Gwnewch nodiadau am y creaduriaid rydych chi wedi'u dal, er mwyn eu hadnabod wedyn.

Oes aden neu asgell?

Siâp y corff

Nifer y coesau

Pysgodyn bach

❗ Arllwyswch bopeth yn ôl yn ofalus i'r dŵr ar ôl gorffen, ar lan gysgodol.

Codi argae ar draws nant

Ceisiwch adeiladu rhwystr o greigiau a brigau ar draws nant i'w hatal rhag llifo. Dewiswch nant fas sydd ddim yn llydan iawn, fel y gallwch ei chroesi'n hawdd a bydd yr argae'n aros yn ei le. Ar ôl codi argae, dipiwch am greaduriaid yn y pwll ac edrychwch beth sydd ar ôl ar wely'r nant.

Bydd angen:

☆ nant fach

☆ boncyffion, cerrig a brigau

☆ mwd a dail

1. Rhowch foncyffion a cherrig mawr mewn llinell ar draws y nant o un ochr i'r llall.

2. Ychwanegwch frigau a cherrig llai nes bod yr argae'n uwch na'r dŵr.

3. Os oes tyllau ar ôl, llenwch nhw â mwd, dail neu frigau, i atal y dŵr.

Mwd a dail yn llenwi'r tyllau

Sylfaen dda o foncyffion a cherrig mawr

Brigau a cherrig llai

Cofiwch chwalu'r argae cyn gadael, bob tro.

Oes unrhyw greaduriaid neu blanhigion ar ôl ar wely'r nant?

Mae afancod yn codi argae o frigau a mwd i greu pyllau i fyw ynddyn nhw. Mae'r dŵr dwfn yn eu cadw'n ddiogel rhag ysglyfaethwyr.

Rasio brigau

Wynebwch ochr y bont gyda'r dŵr yn llifo tuag atoch chi. Gollyngwch eich brigau ar yr un pryd. Yna rhedwch i ochr draw'r bont i weld pa frigyn sy'n dod i'r golwg gyntaf.

Mae'r brigau rasio gorau yn hir ac yn drwm.

Yn y bore neu gyda'r nos yw'r
adegau gorau i weld anifeiliaid
a thrychfilod. Dyna pryd
maen nhw fwyaf prysur. Mae'r
mwyafrif i'w gweld yn ystod yr
haf, gan fod llawer yn cuddio
yn ystod misoedd oer y gaeaf.

Darganfod bywyd gwyllt

Mae'r adran hon yn esbonio sut mae archwilio'r bywyd gwyllt sydd o'ch cwmpas. Cewch wybod pa greaduriaid sy'n byw gerllaw, a chreu mannau iddyn nhw fwydo, nythu a chysgodi.

☆ Dal olion traed yn y nos

☆ Gwneud trap i ddal trychfilod

☆ Creu nyth gwenyn

☆ Hau blodau gwyllt

☆ Dysgu sut mae adnabod gwahanol adar

☆ Gwneud bwydwr adar

☆ Adeiladu bath adar

Mae gwisgo dillad tywyll a llac yn beth da er mwyn gwylio anifeiliaid, fel eich bod yn ymdoddi i'r cefndir a dydy'r anifeiliaid ddim yn gallu eich gweld.

Dilyn creaduriaid

Does dim rhaid i chi fynd yn bell i ddod o hyd i'r anifeiliaid sydd o'ch cwmpas. Dyma rai gweithgareddau i'w gwneud ger eich cartref, neu yn eich parc lleol.

Aderyn

Carw

Trap olion traed

Gosodwch y trap syml hwn er mwyn gweld olion traed y creaduriaid sy'n crwydro yn y nos.

Gwiwer

Bydd angen:

☆ hambwrdd mawr bas

☆ ychydig o dywod neu bridd

1. Min nos, ewch â'ch hambwrdd i fan lle gallai anifeiliaid grwydro, yna rhowch dywod ynddo. Wrth ymyl gât neu dwll mewn ffens yw'r mannau gorau.

Cadno

Aderyn y dŵr

2. Gadewch y trap yno dros nos, ac yn y bore ewch i weld pa anifeiliaid sydd wedi cerdded drwyddo. Cymharwch nhw â'r olion traed sydd yma i weld pa rai ydyn nhw.

Gwylio bywyd gwyllt

Does dim rhaid i chi osod trap i weld bywyd gwyllt. Byddwch yn dawel wrth gerdded, neu gwyliwch mewn ardal gysgodol. Os nad ydych chi'n adnabod creadur, gwnewch nodiadau a chwiliwch wedyn ar wefan am fywyd gwyllt lleol.

Cath

Os oes pwll dŵr gyda chi, rhowch eich hambwrdd gerllaw i gael olion traed creaduriaid fel brogaod neu adar.

Trapiau trychfilod

Gosodwch y trap yma i ddal trychfilod er mwyn cael golwg well arnyn nhw. Rhowch unrhyw beth rydych chi'n ei ddal yn ôl yn ofalus drwy ddal y cwpan yn agos at y ddaear ac aros i'r creadur gropian allan.

Bydd angen:

☆ trywel

☆ cwpan plastig

☆ cerrig

☆ darn o bren neu hen deilsen

1. Palwch dwll bach yn y pridd a rhowch y cwpan ynddo. Gwnewch yn siŵr nad yw top y cwpan yn uwch na lefel y pridd.

2. Rhowch ychydig o gerrig bob ochr i'r twll a rhowch y pren neu'r deilsen ar eu pennau. Gadewch y trap am rai oriau, yna ewch i weld beth sydd yno.

Dyma rai awgrymiadau i'ch helpu i adnabod y mathau o drychfilod rydych chi wedi'u dal:

Cragen galed, sgleiniog

Chwilen

Chwe choes

Neidr gantroed

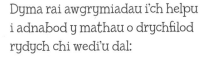

Corff hir a llawer o goesau

Corryn

Lindysyn

Wyth coes

Corff hir, blewog
Efallai bydd rhai'n llachar gyda phatrymau pert.

Gwlithen neu falwoden

Mae cragen gan falwod.

Cofiwch beidio â chyffwrdd ag unrhyw anifeiliaid, na tharfu ar nyth. Gall rhai anifeiliaid frathu neu bigo os ydyn nhw'n teimlo dan fygythiad.

Morgrugyn

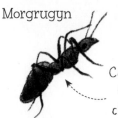

Corff bach, tywyll, a chwe choes

Dim coesau, a chorff gwlyb, llysnafeddog

23

Denu trychfilod

Gallech chi greu ardal awyr agored i ddenu trychfilod. Mae rhai trychfilod yn helpu planhigion i dyfu ac mae eraill yn bryd o fwyd blasus i adar ac anifeiliaid eraill.

Blodau cyfeillgar

Mae gwenyn a pilipalod yn bwydo ar neithdar, yr hylif melys sydd mewn blodau. Maen nhw'n ymweld â blodau - gan gynnwys blodau gwyllt a rhai perlysiau - sydd â llawer o neithdar, neu sydd â neithdar sy'n hawdd ei gyrraedd. Beth am dyfu planhigion mewn potiau i ddenu gwenyn a philipalod? Edrychwch ar y tudalennau hyn, ewch ar y we, neu gofynnwch i'ch siop arddio leol am syniadau.

Mae gwenyn a philipalod yn lledaenu powdr o'r enw paill. Peillio yw enw'r broses hon, ac mae'n gwneud i flodau a hadau dyfu.

Mae gwenyn yn arbennig o hoff o berlysiau fel mintys, mintys y graig, oregano, lafant a chennin syfi.

Pabi melyn

Lafant

Llygad y dydd mawr

Cennin syfi

Nyth gwenyn

Gwnewch nyth i wenyn.

Llanwch bot blodau â phorfa o'r lawnt. Trowch y pot ben i waered, a chladdu ei hanner.

Gallwch dyfu llawer o flodau i ddenu gwenyn. Taenwch becyn o hadau dros gompost. Yna rhowch haen arall, denau o gompost dros yr hadau. Rhowch ddŵr iddo bob hyn a hyn.

Ar ôl gosod y nyth, peidiwch â'i gyffwrdd nac edrych ynddo, rhag i'r gwenyn eich pigo.

Gwnewch dwll drwy ddarn o oren â beiro neu bensel. Gwthiwch linyn drwy'r twll a gwnewch gwlwm.

Rhowch y llinyn i hongian o goeden neu lwyn. Bydd pilipalod yn dod i fwydo ar y sudd melys.

Mae pilipalod yn hoffi bwydo ar flodau bach y budleia porffor. Mae'n cael ei alw'n 'llwyn y pilipala'.

Glaswellt hir

Wrth adael i laswellt dyfu'n hir, mae trychfilod a chreaduriaid eraill yn gallu bwydo, nythu a chuddio. Cadwch draw o fannau sydd wedi tyfu'n wyllt.

Mae lindys yn bwyta planhigion fel danadl poethion. Mae llawer o adar yn bwyta lindys hefyd.

Mae gweision y neidr a mursennod yn gorffwys ar lafnau glaswellt.

Tyllau cuddio

Gwnewch le llaith i falwod, brogaod a chreaduriaid bach guddio ynddo.

Palwch dwll bach yn y ddaear a rhowch garreg fach, bricsen neu ddeilsen dros ei hanner.

Hen bren

Mae chwilod rhisgl a phryfed pren yn cloddio i hen bren sy'n pydru.

Rhowch hen foncyff, bonion, neu ddarnau o risgl mewn corneli cysgodol a llaith.

25

Gwylio adar

Ble bynnag rydych chi, mae pob math o adar i'w gwylio drwy'r flwyddyn gron. Er mwyn adnabod aderyn, edrychwch yn fanwl ar ei faint, y marciau sydd arno a nodweddion eraill. Gwnewch nodyn neu fraslun. Dyma rai pethau i chi chwilio amdanyn nhw.

Mae edrych ar faint aderyn yn fan cychwyn. Ydy e'n fach ac yn ysgafn, neu'n fawr ac yn bwerus?

Pigau

Mae gan rai adar y dŵr bigau hir sy'n crymu i hela creaduriaid y dŵr.

Mae gan adar ysglyfaethus bigau fel bachyn i rwygo cig.

Plu

Oes unrhyw farciau ar yr adenydd?

Oes gan yr aderyn unrhyw ddarnau llachar neu dywyll, neu ai'r un lliw sydd drosto?

Mae gan adar sy'n bwyta hadau bigau trwchus, pigog.

Traed

Traed cryf, pwerus i gydio mewn ysglyfaeth yw crafangau.

Dim ond traed bach, tenau sydd eu hangen ar adar sy'n bwyta hadau a thrychfilod.

Gallwch adnabod rhai adar wrth eu ffordd o hedfan a siâp eu hadenydd. Gwyliwch i weld a ydyn nhw'n hofran, yn curo eu hadenydd neu'n codi i'r awyr yn sydyn.

Mae gan adar y dŵr draed gweog er mwyn nofio.

Gallwch ddenu adar i ymweld gan ddefnyddio'r syniadau hyn.

Gwnewch fwydwr adar

Bydd adar llwglyd yn dod at fwydwr yn aml, yn enwedig yn y gaeaf a dechrau'r gwanwyn. Dyma ffordd hawdd o wneud un.

Gorchuddiwch diwb cardfwrdd â menyn cnau mwnci, yna ei rolio mewn hadau adar gwyllt neu hadau blodau'r haul. Rhowch y tiwb dros frigyn...

...neu clymwch linyn o'i gwmpas a'i hongian.

Bath adar

Llenwch hen hambwrdd neu blât â dŵr a'i roi tu allan i adar gael yfed ohono ac ymolchi ynddo.

Ychwanegwch frigyn neu gangen fach lle gall adar sefyll ac yfed heb wlychu ac oeri.

Rhowch ychydig o gerrig mân neu dywod yn y gwaelod fel ei fod yn edrych yn fwy naturiol.

Deunyddiau nythu

Yn y gwanwyn, gadewch rai o'r deunyddiau nythu hyn mewn man cysgodol i adar eu defnyddio i wneud nythod.

Brigau bach

Mwsogl

Dail wedi cwympo

Toriadau porfa

27

Mae coed yn tyfu haenau ar eu boncyffion, sy'n creu cylchoedd. Mae un cylch yn tyfu bob blwyddyn, felly gallwch ddweud beth yw oed coeden drwy gyfrif ei chylchoedd. Dewch o hyd i fôn coeden. Fedrwch chi ddweud pa mor hen oedd y goeden?

Cylchoedd tyfiant coeden

Archwilio coedwigoedd

Ble bynnag mae coed yn tyfu - mewn coedwigoedd neu mewn dinasoedd - maen nhw'n gartref i bob math o bethau byw, fel hadau, madarch gwyllt, adar a phryfed. Cewch weld yma sut mae adnabod gwahanol goed, ffrwythau a hadau, yn ogystal â syniadau am bethau i'w gwneud yn y goedwig.

☆ Adnabod coed
☆ Hela am hadau, ffrwythau a chnau
☆ Dod o hyd i greaduriaid yn y goedwig
☆ Gwneud ras rwystrau
☆ Gwneud llwybr i rywun ei ddilyn
☆ Creu celf wyllt

Ditectif coed

Y ffordd hawsaf o adnabod coeden yw edrych ar ei dail. Dewch o hyd i ddeilen ac edrychwch ar ei siâp, ei hymylon a'i hansawdd. Yna tynnwch ei llun neu gwnewch nodiadau. Dyma syniadau am y math o bethau i chi chwilio amdanyn nhw.

Mae coed bythwyrdd yn cadw eu dail drwy'r flwyddyn. Fel arfer maen nhw'n drwchus ac yn sgleiniog, neu'n siâp nodwydd.

Dail llabedog yw'r enw ar ddail sydd ag ymyl tonnog, fel y ddeilen dderwen hon.

Coeden fythwyrdd yw'r gelynnen

Trwchus a sgleiniog

Mae rhai coed yn colli eu dail yn y gaeaf. Coed collddail yw'r enw arnyn nhw.

Ymylon pigog a phigau miniog

Mae gan y ffawydden ddail rhychiog siâp picell.

Siâp nodwydd

Mae gan goed conwydd lawer o ddail pitw bach sy'n glwstwr ar y gangen.

Mae gan rai coed, fel yr onnen, ddail bach bob hyn a hyn ar ganghennau.

Gallwch edrych ar-lein er mwyn dod i wybod mwy am goed a'u dail.

Mae pum 'bys' gan rai dail sydd fel llaw, fel y fasarnen hon, ac mae gan rai dri bys.

Siâp llaw

Hadau a ffrwythau

O ddiwedd yr haf ymlaen, mae coed yn cynhyrchu pob math o hadau, cnau a ffrwythau. Mae'r rhain yn disgyn i'r ddaear ac yn tyfu'n goed newydd ym mhen amser. Dyma rai mathau gwahanol y gallech eu gweld ar lawr y goedwig.

Hadau hedegog

Mae hadau coed masarn a rhai sycamorwydd yn troelli i'r ddaear wrth syrthio o'r coed.

Hofrenyddion yw'r enw ar y rhain.

Ffrwythau

Rhai meddal, fel eirin ac aeron, neu rai caled, fel afalau

Mes

Cnau o dderi (coed derw)

Moch coed

Casys hadau mawr a phigog sy'n tyfu ar gonwydd

Concyrs

Cnau tywyll, sgleiniog mewn casyn pigog, o gastanwydd y meirch

Wrth fôn y goeden

Mae llawer o bethau'n byw ac yn tyfu ar fonion llaith neu ar goed marw sydd wedi cwympo. Maen nhw'n bwydo ar hen risgl a dail crin. Faint o bethau gwahanol gallwch chi eu gweld wrth fôn y goeden?

Tyllau pryfed pren   Cen   Rhes o forgrug

Mae pryfed pren a chwilod yn bwydo ar y pren sy'n pydru.

Twll i dylluan sy'n nythu

Boncyff

Edrychwch ar foncyff coeden i weld olion creaduriaid y coed – nythod, crafiadau yn y rhisgl neu'r anifeiliaid eu hunain, hyd yn oed.

Rhisgl wedi'i grafu gan gnocelli'r coed neu wiwerod wrth edrych am fwyd neu wneud nyth

Gwiwer

Mwsogl gwyrdd

Mae madarch gwyllt yn tyfu ar y rhisgl llaith ar waelod y boncyff.

Mae cwningod ac anifeiliaid eraill yn cloddio rhwng gwreiddiau'r goeden.

Rhwystrau a llwybrau

Mae sawl ffordd wahanol o archwilio'r goedwig – drwy neidio dros rwystrau neu farcio llwybrau.

Ras rwystrau'r goedwig

Gallwch ddod o hyd i rwystrau fel coed wedi cwympo, bonion a phyllau dŵr ym mhob man yn y goedwig. Dyma rai syniadau hwyliog am sut i fynd drostyn nhw. Cadwch at rwystrau byr, isel neu gul, ac edrychwch o'ch cwmpas cyn neidio i wneud yn siŵr na chewch chi eich brifo.

Cydbwyso ar fonyn
Sefwch ar fonyn isel ar un goes, a cheisiwch aros yn llonydd.

Neidio ar fonyn
Plygwch eich pengliniau gyda'ch breichiau'n syth y tu ôl i chi. Gwthiwch eich hun i fyny drwy symud eich breichiau ymlaen, a glanio ar ben y bonyn.

Llamu dros foncyff wedi cwympo
Rhedwch at y boncyff. Rhowch eich dwylo arno, yna gwthiwch eich hun i fyny a throsto.

Sboncio dros byllau dŵr
Rhedwch at y pwll a neidio drosto drwy wthio oddi ar un goes. Glaniwch ar y goes arall.

Marcio llwybrau

Os ydych chi'n griw yn y goedwig,
gallech chi rannu'n ddau dim.
Mae un tîm yn marcio llwybr
i'r tîm arall ei ddilyn, gan
ddefnyddio arwyddion.
Dyma rai syniadau
am arwyddion:

Trowch i'r chwith

Trowch i'r dde

Gwnewch eich arwyddion
o frigau neu gerrig, a
sicrhewch fod pob un yn
fawr ac yn amlwg fel y
bydd y tîm arall yn
siwr o'i weld.

Yn draddodiadol, roedd
tracwyr a fforwyr yn
defnyddio arwyddion fel
hyn i ddweud wrth ei
gilydd lle i fynd.

Dros y boncyff
sydd wedi cwympo

Perygl!

Danadl neu
ddrain

Nid y
ffordd yma

Y llwybrau gorau yw'r
rhai heb fod yn rhy hir
na'n rhy gymhleth. Cadwch
nhw'n syml ac yn eglur.

Gallech chi godi
pentwr o gerrig
i nodi'r diwedd.

Arwyddion naturiol

Ffordd arall o farcio llwybr yw drwy
ddefnyddio tirnodau naturiol, fel boncyff
wedi syrthio, blodau neu goed arbennig.
Ewch am dro a gwnewch restr o'r tirnodau
rydych chi'n mynd heibio iddyn nhw.
Yna edrychwch i weld a all y tîm arall
ddefnyddio'r rhestr i fynd drwy'r goedwig.

Celf wyllt

Pan fyddwch chi yn y goedwig, gallech chi ddefnyddio'r pethau o'ch cwmpas i wneud gweithiau celf wyllt.

Pentwr gwyllt

Gallwch wneud cerfluniau diddorol o frigau a cherrig.

Casglwch gerrig – rhai mawr, rhai canolig a rhai bach. Gwnewch nhw'n bentwr, gyda'r rhai mwyaf ar y gwaelod a'r rhai lleiaf ar y top.

Gwnewch gerflun o frigau. Ceisiwch gasglu brigau o'r un maint, yna gwnewch bentwr ohonyn nhw.

Ewch â'r pethau sydd eu hangen i wneud darn o gelf, a dim mwy. Peidiwch â tharfu ar fywyd gwyllt. Tynnwch lun o'ch celf, yna gwasgarwch bopeth cyn gadael.

Gallech chi roi cerrig mewn cylchoedd, fel hyn.

Celf wrth gerdded

Gwnewch batrymau drwy ddefnyddio eich traed yn unig.

Mewn mwd neu dywod, gwnewch olion traed, yna ewch yn ôl a cheisiwch roi eich traed yn yr un mannau'n union i wneud yr olion yn ddyfnach.

Gwnewch batrwm yn y borfa hir drwy gerdded yr un llwybr sawl gwaith.

Ceisiwch feddwl am syniadau eraill am gelf wyllt.

34

Siapau'r corff

Os ydych chi yn yr awyr agored gyda ffrind, gwnewch gelf drwy ddefnyddio brigau, cerrig, dail, a'ch cyrff.

Mae un person yn gorwedd ar ddaear sych gyda'r breichiau a'r coesau wedi ymestyn ar led. Mae'r person arall yn rhoi rhes o frigau, cerrig a dail ar y ddaear o'u cwmpas nhw.

Pan fydd y person yn codi o'r ddaear, bydd amlinell ei gorff i'w gweld.

Cylchoedd dail

Yn yr hydref a'r gaeaf, casglwch bob math o ddail at ei gilydd, yna gosodwch nhw mewn cylchoedd i wneud patrymau.

❗ Peidiwch byth â chasglu dail pan fyddan nhw'n dal i fod ar y goeden.

Weithiau mae'r math yma o gelf yn cael ei alw'n 'Celf y Tir'. Dau artist o Gymru sy'n creu celf o ddeunyddiau naturiol yw David Nash a Thomas Peter James. Mae lluniau o'u gwaith i'w gweld ar-lein. Chwiliwch am enwau artistiaid eraill sy'n creu celf debyg.

Llinellau naturiol

Gallech chi greu patrwm trawiadol o linellau drwy roi brigau bach ar y ddaear.

Mae gofodwyr yn dysgu llawer o'r sgiliau yn yr adran hon wrth hyfforddi – fel codi lloches a gwneud tân – rhag ofn iddyn nhw lanio yn y gwyllt.

Byw yn y gwyllt

Mae gwersylla yn yr awyr agored yn antur fawr.
Cewch wybodaeth yma am godi gwersyll, am ddewis
y man gorau i godi pabell, a sut i wneud tân.

☆ Dod o hyd i'r man
   gwersylla gorau

☆ Gwneud tân

☆ Coginio tatws ar y tân

☆ Codi lloches gadarn

☆ Defnyddio'r haul i
   ddod o hyd i'r ffordd

☆ Gwneud map

☆ Cyfathrebu gan ddefnyddio
   negeseuon cudd

Mae clymau'n ddefnyddiol iawn pan fyddwch chi yn yr awyr agored.
Gallwch glymu rhaff wrth goeden neu bostyn â'r cwlwm hwn. Dilynwch
y camau yma a defnyddio'r cwlwm wrth godi'r llochesi ar dudalen 41.

1. 2. 3.

Codi gwersyll

Mae pethau pwysig i'w cofio wrth ddewis y man perffaith i godi gwersyll.

Codi pabell

Edrychwch o'ch cwmpas i geisio dod
o hyd i'r man gorau cyn cychwyn.

Mae'n rhaid i chi
gael caniatâd i godi
pabell ac i wersylla. Y
peth gorau yw mynd i
wersyll penodol.

Mae afonydd a llynnoedd yn denu
pryfed a gall fod llifogydd os bydd glaw trwm,
felly cadwch draw oddi wrth ddŵr. Os ydych chi
ar lethr, dylai agoriad eich pabell wynebu tuag
i lawr fel nad oes glaw'n rhedeg i mewn iddo.
Gwnewch yn siŵr fod cyflenwad
o ddŵr gerllaw hefyd.

Os yw hi'n oer, rhowch y babell i
wynebu'r dwyrain. Mae'r haul yn codi
yn y dwyrain a gall ddechrau cynhesu eich
pabell. I ddod o hyd i'r dwyrain, dilynwch
yr awgrymiadau ar dudalen 44.

Dewch o hyd i ddarn o dir gwastad a chodwch
unrhyw frigau a cherrig o safle'r babell.
Gallwch ddefnyddio'r brigau
i wneud tân (t.39).

Gallech chi
gael hwyl wrth
geisio codi eich
lloches eich hun;
edrychwch ar
dudalennau 40-41.

Os yw hi'n boeth, codwch y babell mewn
man cysgodol yn ystod gwres y dydd.
Codwch yn gynnar hefyd, cyn i'r babell
fynd yn boeth.

Cynnau tân

Mae'n rhaid cael tân i gadw'n gynnes ac i goginio pryd o fwyd da. Gofynnwch am ganiatâd cyn cynnau tân ac edrychwch am fannau penodol lle gallwch wneud hynny.

Bydd angen:

☆ tanwydd
   (cam 1)

☆ brigau

☆ boncyffion

Rhedyn

Moch y coed

Porfa hir

Dail

1. Casglwch ddeunyddiau sych, sef tanwydd, a fydd yn cynnau'n gyflym. Mae'r pethau hyn i gyd yn gwneud tanwydd da.

2. Gwnewch bentwr o'r tanwydd, yna gwnewch byramid o frigau sych o'i gwmpas.

! Gwaith oedolyn yn unig:

3. Defnyddiwch fatsys i danio'r tanwydd yn y canol.

4. Pan fydd y tanwydd a'r brigau'n llosgi, ychwanegwch foncyffion mwy er mwyn cadw'r tân i losgi.

! Diogelwch tân

Gall tân fod yn beryglus iawn.
Darllenwch y rheolau diogelwch hyn yn ofalus.

Dylai fod oedolyn gyda chi bob amser.

Peidiwch ag eistedd neu sefyll yn rhy agos at y tân.

Peidiwch â chynnau tân wrth ymyl pebyll neu adeiladau.

Mae angen dŵr neu dywod i ddiffodd y tân pan fyddwch yn gadael.

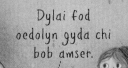

Rhaid i oedolyn ofalu am y tân bob amser.

Codi lloches

Gallwch chi godi eich lloches neu eich ffau eich hun gyda brigau neu raff a chynfas.

Lloches frigau

Gallwch chi wneud lloches frigau â'r pren sydd o'ch cwmpas yn y goedwig. Mae'n edrych yn syml, ond mae'n rhyfeddol o gadarn. Bydd fforwyr y gwyllt yn defnyddio'r dull hwn.

Bydd angen:

☆ dwy gangen fforchog

☆ un gangen hir

☆ llawer o frigau a changhennau llai

I wneud y fynedfa i'ch lloches, daliwch y ddwy gangen fforchog wrth ei gilydd fel triongl llydan.

Yn ofalus, rhowch un gangen hir ar ben y canghennau fforchog. Rhaid bod y canghennau'n gallu sefyll heb help.

Ychwanegwch lawer o frigau at bob ochr, gan eu rhoi fesul un ar hyd y gangen hir, nes bod yr ochrau wedi'u gorchuddio. Bydd angen dod o hyd i frigau o hyd gwahanol.

Os oes llawer o frigau bach eraill a dail ar y llawr, gallech chi eu rhoi yn orchudd dros eich lloches. Plethwch briciau tenau rhwng y brigau a rhoi'r dail ar eu pen.

Beth am gropian i mewn i'r lloches?

40

Lloches ffrâm driongl

Clymwch ddarn hir o raff neu linyn cryf rhwng dwy goeden. Yna rhowch darpolin neu gynfas dros ei ben.

Defnyddiwch ddail sych i wneud llawr.

Gosodwch res o gerrig i gadw'r cynfas rhag codi oddi ar y ddaear.

! Tynnwch eich lloches yn ddarnau bob amser a chliriwch eich gwersyll cyn mynd adre.

Lloches pen saeth

Clymwch un cornel o darpolin neu gynfas wrth foncyff coeden. Yna clymwch y pen arall wrth y ddaear. Plygwch yr ochrau at ei gilydd i wneud llawr.

Os nad oes tyllau yn y tarpolin, lapiwch garreg fach yn y cornel. Yna clymwch y rhaff am y garreg.

Clymwch y cornel cefn wrth beg pabell neu frigyn miniog wedi'i wthio i mewn i'r ddaear.

Rhowch gerrig y tu mewn i gadw'r cyfan yn ei le.

Coginio ar dân gwersyll

Pan fydd fflamau'r tân bron iawn â diffodd a'r boncyffion yn dal yn goch gan wres, dyna'r adeg orau i goginio bwyd gwersyll.

Bydd angen:

☆ ffoil coginio cryf

☆ cyllell a llwy

☆ gefelau metel

☆ menig ffwrn

❗ Mae hyd yn oed tanau bach yn gallu bod yn beryglus iawn. Darllenwch y rheolau diogelwch ar dudalen 39 cyn gwneud tân.

❗ Gwisgwch fenig ffwrn wrth drafod bwyd poeth a defnyddiwch efelau bob amser i dynnu pethau o'r tân.

Dylai fod lludw gwyn dros y boncyffion sy'n pefrio'n goch.

Rhaid bod y fflamau i gyd bron iawn â diffodd.

Marwor yw'r enw ar ran goch y tân.

Brechdan fisged malws melys

Cynhwysion:

☆ malws melys

☆ bisgedi

☆ sgiwerau

1. Rhowch falws melys ar waelod sgiwer. Daliwch e dros y tân am ryw 15 eiliad, a'i droi yn araf.

2. Rhowch y malws melys poeth, ar y sgiwer o hyd, ar fisged. Rhowch fisged arall ar ei ben a'u gwasgu at ei gilydd. Yna, tynnwch y sgiwer allan.

Taten bob

Cynhwysion:

- ☆ taten fawr
- ☆ menyn

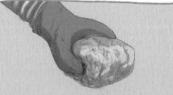

1. Torrwch y daten yn ei hanner â chyllell. Rhowch lond llwy de o fenyn rhwng y ddau hanner a'u gwasgu'n ôl at ei gilydd.

2. Lapiwch ddau hanner y daten yn dynn mewn ffoil. Gan ddefnyddio menig a gefelau, gwthiwch y daten yn ofalus i'r marwor.

3. Gadewch iddi bobi am 20 munud. Yna defnyddiwch y gefelau i'w throi. Ar ôl 10 munud arall, tynnwch hi o'r marwor.

4. Gan wisgo maneg ffwrn, gwasgwch y daten. Os yw hi'n teimlo'n feddal, mae'n barod i'w bwyta. Os nad yw, rhowch hi'n ôl am dipyn.

5. Gadewch i'r daten oeri am 10 munud. Tynnwch hi o'r ffoil a'i bwyta'n syth. Gallech chi ychwanegu caws wedi'i falu hefyd.

Tywysen o india-corn

Cynhwysion:

- ☆ tywysen o india-corn yn ei choden (dail)
- ☆ menyn

1. Rhowch y dywysen mewn dŵr am awr.

2. Lapiwch y dywysen yn dynn mewn ffoil. Gan wisgo menig a defnyddio gefelau, gwasgwch y pecyn ffoil i'r marwor.

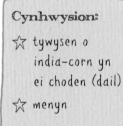

3. Ar ôl 20–25 munud, defnyddiwch y gefelau i dynnu'r pecyn ffoil o'r tân. Gadewch iddo oeri am 10 munud.

4. Tynnwch y ffoil yn ofalus a thynnwch y dail o'r dywysen. Rhowch lond llwy de o fenyn dros y dywysen a'i bwyta'n syth.

❗ Pan fyddwch chi wedi gorffen â'r tân, diffoddwch ef â dŵr neu dywod. Ewch â'ch sbwriel a'ch offer gyda chi.

Dod o hyd i'r ffordd

Pan fyddwch chi yn yr awyr agored, gall yr haul a'r dirwedd eich helpu
i ddod o hyd i'r ffordd. Ond dylech chi fynd â map bob amser hefyd.

Gwnewch nodyn o'r pethau rydych chi'n gallu eu gweld o bell.

Haul yn machlud

Mae'r haul a'r lleuad yn codi yn y dwyrain ac yn machlud yn y gorllewin.

Dod o hyd i'r gogledd gan ddefnyddio'r haul

Os yw hi'n ddiwrnod heulog, gallwch chi ddefnyddio'r ffordd mae'r haul yn symud
ar draws yr awyr i ddod o hyd i'r gogledd.

Bydd angen:

☆ man heulog, agored
☆ ffon syth neu gangen o leiaf 1 metr o hyd
☆ dwy garreg

1. Gwasgwch eich ffon i'r ddaear a rhowch garreg ar ben uchaf y cysgod.

Y garreg gyntaf

2. Arhoswch am 20 munud. Defnyddiwch ail garreg i nodi safle newydd y cysgod ar y llawr.

3. Rhowch eich troed chwith yn erbyn y garreg gyntaf, a'ch troed dde yn erbyn yr ail. Rydych chi'n wynebu'r gogledd.

4. Ar ôl dod o hyd i'r gogledd, gallwch chi nodi'r cyfeiriadau eraill – y de, y dwyrain a'r gorllewin.

Gogledd

Dwyrain

Gorllewin

De

Gwneud eich map eich hun

Er mwyn gwneud map o fan rydych chi wedi'i fforio, y cyfan sydd ei angen yw papur, pen a phensiliau, a'ch sgiliau arsylwi. Gall map ddangos llwybr i ffrindiau ei ddilyn, neu ddangos eich mannau gwersylla a'ch cuddfannau.

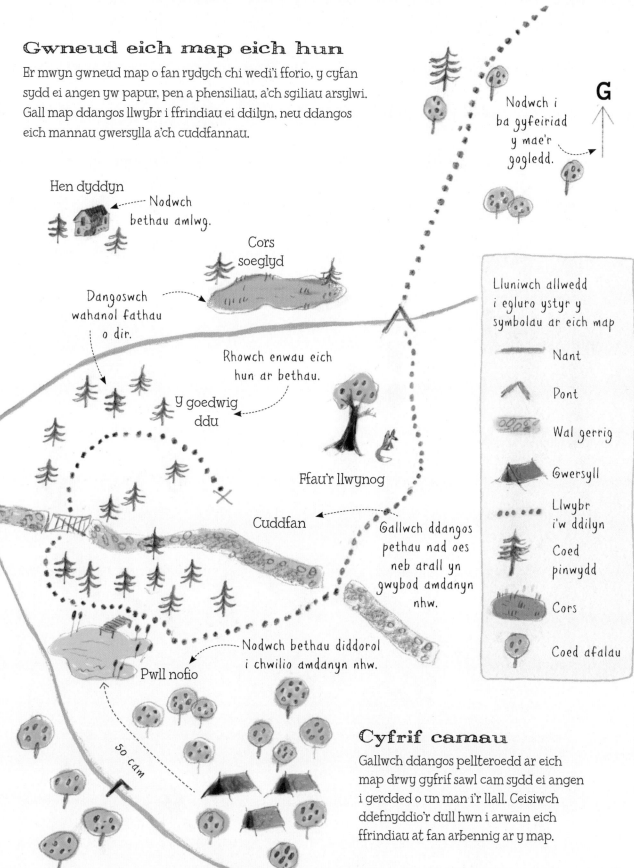

Nodwch i ba gyfeiriad y mae'r gogledd.

G

Hen dyddyn

Nodwch bethau amlwg.

Cors soeglyd

Dangoswch wahanol fathau o dir.

Rhowch enwau eich hun ar bethau.

Y goedwig ddu

Ffau'r llwynog

Cuddfan

Gallwch ddangos pethau nad oes neb arall yn gwybod amdanyn nhw.

Pwll nofio

Nodwch bethau diddorol i chwilio amdanyn nhw.

50 cam

Lluniwch allwedd i egluro ystyr y symbolau ar eich map

Nant	
Pont	
Wal gerrig	
Gwersyll	
Llwybr i'w ddilyn	
Coed pinwydd	
Cors	
Coed afalau	

Cyfrif camau

Gallwch ddangos pellteroedd ar eich map drwy gyfrif sawl cam sydd ei angen i gerdded o un man i'r llall. Ceisiwch ddefnyddio'r dull hwn i arwain eich ffrindiau at fan arbennig ar y map.

Anfon negeseuon

Mae dysgu sut i anfon negeseuon heb eiriau'n ddefnyddiol ar gyfer anturwyr awyr agored, er mwyn cyfathrebu dros bellter. Mae'n ffordd hwyliog o anfon negeseuon cudd at eich ffrindiau, hefyd.

Cod Morse

Mewn cod Morse, mae pob llythyren o'r wyddor Saesneg yn cael ei throi'n gyfres o ddotiau a dashiau. Gallwch anfon neges Morse at rywun arall yn y tywyllwch drwy gynnau a diffodd golau.

Bydd angen i chi allu gweld fflachiadau golau eich gilydd yn glir.

🔦 Peidiwch byth â disgleirio eich golau'n syth i lygaid unrhyw un.

Bydd angen copi o'r cod a llyfr nodiadau a phensel i ddatrys y neges.

- Fflach o olau sy'n para un eiliad yw dot.
- — Pelydryn o olau sy'n para tair eiliad yw dash.

Gadewch ddwy eiliad rhwng llythrennau, a phum eiliad rhwng geiriau.

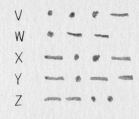

Yr wyddor Morse Saesneg

A	• —	H	• • • •	O	— — —	V	• • • —
B	— • • •	I	• •	P	• — — •	W	• — —
C	— • — •	J	• — — —	Q	— — • —	X	— • • —
D	— • •	K	— • —	R	• — •	Y	— • — —
E	•	L	• — • •	S	• • •	Z	— — • •
F	• • — •	M	— —	T	—		
G	— — •	N	— •	U	• • —		

Er mwyn anfon neges Gymraeg, rhaid rhannu llythrennau dwbwl (ch, dd, ff, ng, ll, ph, rh, th) yn ddwy lythyren sengl.

Semaffor

Roedd semaffor yn cael ei ddefnyddio ar y môr i anfon negeseuon rhwng cychod.
Mae'r anfonwr yn dal ei freichiau mewn mannau penodol (gan ddefnyddio baneri),
sy'n golygu llythrennau gwahanol. Gallech chi ddefnyddio menig, neu faneri cardfwrdd.

Beth am sillafu geiriau, ac yna negeseuon syml?
Ydy hyn yn haws neu'n fwy anodd ei ddeall na Morse?

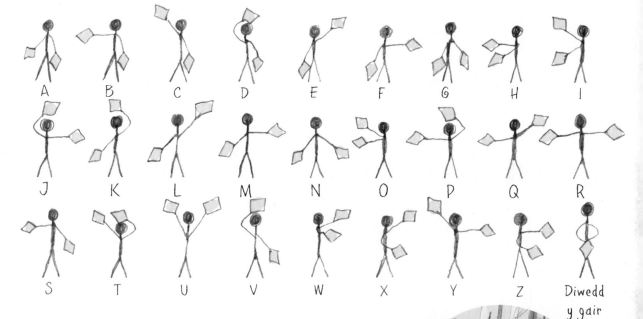

Iaith y gwyllt

Ar ôl meistroli Morse a semaffor, defnyddiwch seiniau
neu symudiadau'r corff i greu eich codau cudd eich hun.
Dyma rai syniadau i gychwyn:

Anifail o'ch blaen

"Crawc crawc!"

Esgus stompio traed

Gwyliwch

Plygwch

Gofalwch fod pob arwydd yn eich cod yn eglur ac yn wahanol i'r lleill rhag i chi gymysgu rhyngddyn nhw.

Mae rhai pobl yn credu y
gallwch ddarogan y tywydd
drwy edrych ar y dail ar goed.
Os yw dail coed collddail
fel masarn a ffawydd yn
troi tuag i fyny, efallai ei
bod ar fin bwrw glaw.

Glaw neu hindda

Mae digon o bethau i'w gwneud yn yr awyr agored ym mhob tywydd.

☆ Dysgu enwau'r cymylau

☆ Rhagfynegi'r tywydd

☆ Mesur dŵr glaw

☆ Mynd ar helfa natur soeglyd

☆ Chwilota yn yr eira

☆ Codi iglw

Mae enfys yn ymddangos pan fydd yr haul yn disgleirio ar ddafnau o ddŵr yn yr awyr. Mae'n bosibl iawn y gwelwch chi enfys pan fydd cawod drom o law a'r haul yn tywynnu ar yr un pryd.

Adnabod cymylau

Dewch o hyd i fan yn yr awyr agored lle gallwch weld yr awyr yn eglur ac edrychwch i fyny – sut bynnag mae'r tywydd, rydych chi'n debygol o weld cymylau, ond mae llawer o wahanol fathau i'w cael. Gan ddefnyddio'r tudalennau hyn, dechreuwch adnabod cymylau.

Cirrus
Cymylau gwyn, tenau, fel cudynnau o wallt

Cirrostratus
Blanced wen, denau ar draws yr awyr, sy'n gwneud i'r haul edrych yn bŵl

Nimbostratus
Blanced drwchus, dywyll

Llwybrau anwedd yw'r llinellau tenau hyn. Awyrennau sy'n eu gwneud nhw.

Stratus
Blanced wastad olau, yn isel yn yr awyr

Cumulus
Cymylau mawr gwyn, fflwfflyd, gyda gwaelod gwastad

Cumulonimbus
Cymylau storm tal, tywyll
sy'n ymestyn fry i'r awyr

Rhagolygon cymylau

Cyn bod rhagolygon y tywydd, byddai pobl
yn edrych ar y cymylau yn y bore er mwyn
rhagfynegi sut byddai'r tywydd am weddill y
dydd. Gallech chi roi cynnig ar hyn hefyd. Tybed
pa mor aml byddwch chi'n rhagfynegi'n gywir?

Cirrocumulus
Cymylau pitw bach
gwyn a fflwfflyd

Stratus a nimbostratus
Gall fod glaw mân
neu eira.

Cirrostratus
Gall fod glaw mân,
tarth neu niwl.

Cirrus ac altocumulus
Gall fod tywydd
cyfnewidiol.

Cumulus
Gall fod glaw os yw'r
cymylau'n mynd yn fwy, neu
hindda os ydyn nhw'n aros yr
un maint drwy'r dydd.

Cumulonimbus
Gall fod glaw trwm,
cesair neu hyd yn oed
mellt a tharanau.

Altocumulus
Cymylau bach
gwyn, fflwfflyd

❗ Peidiwch byth ag
edrych yn syth at
yr haul – gallai wneud
niwed i'ch llygaid.

Glaw ac eira

Os yw hi'n bwrw glaw neu eira, beth am wisgo dillad addas a mynd allan i'r awyr agored? Dyma rai gweithgareddau ar gyfer diwrnod llaith.

Defnyddiwch y dŵr glaw rydych chi'n ei gasglu i ddyfrhau planhigion pan fydd hi'n sych.

Mesurydd glaw

Mae mesurydd yn ffordd hawdd o fesur dŵr glaw. Gadewch e tu allan am rai diwrnodau neu wythnos i weld faint o law sydd wedi syrthio yn eich ardal chi.

Bydd angen:

☆ cwpan plastig tal (defnyddiwch un sydd â chlawr cromennog a thwll ynddo os yw'n bosibl)

☆ cerrig bach

☆ pen ffelt

☆ pren mesur

Bydd y rhain yn cadw'r cwpan rhag cwympo.

1. Rhowch y cerrig yn y cwpan, yna arllwyswch y dŵr drostyn nhw. Rhowch y clawr arno, ben i waered.

2. Gan ddechrau ar lefel y dŵr, marciwch raddfa i fyny'r cwpan, bob cm.

3. Rhowch y mesurydd y tu allan. Ar ôl iddi fwrw, nodwch lefel y dŵr.

Helfa yn y glaw

Mae rhai anifeiliaid yn dwlu ar dywydd gwlyb, felly ewch i chwilio am drychfilod yn y glaw.

Mae adar yn hela mwydod a phryfed sy'n dod allan pan fydd hi'n glawio.

Mae'r brogaod yn anadlu drwy'u croen pan fydd hi'n wlyb, felly maen nhw i'w gweld yn amlach ar ddiwrnodau glawiog.

Mae mwydod yn dod i'r wyneb pan fydd hi'n wlyb er mwyn llithro o le i le.

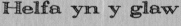

Malwoden

Gwlithen

Diwrnodau o eira

Pan fydd yr aer yn oer iawn, mae'r dŵr yn y cymylau'n rhewi, ac yna'n disgyn fel eira. Mae eira'n gallu gwneud i fannau cyfarwydd edrych yn ddieithr iawn.

Mae siapau anhygoel gan blu eira – mae pob pluen yn wahanol. Edrychwch arnyn nhw drwy chwyddwydr.

Mae pibonwy'n ffurfio pan fydd eira'n toddi'n ddiferion o ddŵr, ac yna'n rhewi eto.

Pan fydd hi'n bwrw eira'n drwm ac yn wyntog iawn, gall eira gasglu'n bentyrrau o'r enw lluwchfeydd.

Os gwelwch chi olion anifeiliaid yn yr eira, ceisiwch eu hadnabod gan ddefnyddio'r patrymau ar dudalen 22.

Diferion bach pitw o ddŵr wedi'u rhewi yw llwydrew neu farrug. Gall wneud patrymau diddorol ar blanhigion a ffenestri.

Iglw bach

Os oes *llawer* o eira, gallech chi adeiladu tŷ eira pitw o'r enw iglw.

Bydd angen:

☆ tybiau plastig, fel tybiau hufen iâ bach

☆ dillad cynnes, gan gynnwys menig

5. Gwasgwch frics i'r top i'w gau.

1. Gwnewch frics eira drwy godi eira i mewn i'r tybiau, ac yna ei wasgu'n galed.

2. Adeiladwch y sylfaen drwy osod y brics mewn cylch.

3. Codwch ragor o gylchoedd o frics ar ben y sylfaen, gan bwyso pob haen ychydig at y canol.

4. Defnyddiwch eira ychwanegol i gau'r bylchau.

53

Gemau gwych

Dyma rai gemau awyr agored i'w chwarae gyda chriw o ffrindiau. Diwrnod braf o haf yw'r adeg orau i'w chwarae, ond maen nhw'n hwyl unrhyw bryd.

Cuddio ar y cyd

Mae un person yn cael 30 eiliad i guddio. Dylai pawb arall fynd i chwilio amdano. Pan fydd rhywun yn dod o hyd i'r cuddiwr, rhaid iddo fe neu hi ymuno a chuddio yn yr un lle. Mae'r person olaf sy'n dal i chwilio'n colli'r gêm ac yn cuddio'r tro nesaf.

Gosodwch ffiniau, fel ardal fach mewn parc, neu bydd y gêm guddio hon yn rhy anodd.

Limbo o dan raff.

Ras rwystrau

Gwnewch ras rwystrau o bethau sydd gennych chi gartref. Amserwch bawb yn y grŵp i weld pwy all orffen yn gyntaf.

Hercian i'r llinell derfyn.

Gallech chi ddefnyddio:

☆ rhaff neu linyn

☆ bwcedi

☆ peli

☆ sachau neu gynfasau

☆ cylchoedd

☆ unrhyw beth arall welwch chi!!

Dringo drwy gylchoedd.

Neidio ar fonyn.

Taflu pêl i'r bwced cyn symud ymlaen.

Helfa hwyl

Mae un person yn gwneud rhestr o bethau i'w gweld. Mae pawb yn cael copi o'r rhestr ac yn ceisio darganfod pob eitem. Y person cyntaf i sylwi ar bopeth ar y rhestr sy'n ennill.

Sylwch ar bethau'n unig, heb eu codi na'u symud.

Gallai'r rhestr gynnwys pethau fel:

Cerflun

Deilen gron

Anifail gwyllt, fel gwiwer

Gallwch chwarae helfa hwyl drwy'r flwyddyn. Byddwch chi'n chwilio am bethau gwahanol ym mhob tymor.

Ci

Aderyn

Planhigyn dŵr

EWCH!

Gwarchod y castell

Penderfynwch ar leoliad y 'castell'. Mae un person yn warchodwr ac yn cyfrif i 30 tra bydd pawb arall yn mynd i guddio. Mae'r gwarchodwr yn gweiddi 'Ewch'. Rhaid i bawb sy'n cuddio geisio sleifio'n ôl i'r castell heb i'r gwarchodwr eu dal.

Gallai'r 'castell' fod yn goeden, yn ffens, neu unrhyw beth o'ch dewis.

Mae'r gêm ar ben pan fydd pawb wedi cyrraedd y castell, neu wedi'u dal. Yna mae rhywun arall yn warchodwr.

Anifeiliaid nosol yw'r enw
ar anifeiliaid sy'n brysur
yn y nos. Maen nhw'n dod
allan bryd hynny i ddal
ysglyfaeth. I rai anifeiliaid
mewn lleoedd poeth,
mae hefyd yn ffordd o
gadw'n oer.

Anturio yn y nos

Gwyliwch a gwrandewch am greaduriaid
yn y nos, neu syllwch ar y sêr.

- ☆ Gwrando am dylluanod a chadnoid
- ☆ Chwilio am bryfed tân
- ☆ Denu gwyfynod gan ddefnyddio golau
- ☆ Dilyn olion gwlithod a malwod
- ☆ Dysgu am y cytserau
- ☆ Chwilio am blanedau a sêr gwib
- ☆ Edrych ar y lleuad
- ☆ Dod o hyd i'r gogledd gan ddefnyddio'r sêr

Byd natur yn y nos

Pan fyddwch chi'n mynd i gysgu, mae rhai anifeiliaid yn deffro. Yng nghwmni oedolyn, gallech chi fynd ar daith natur liw nos i weld creaduriaid nosol.

Taith gerdded liw nos

Ewch allan wrth iddi nosi gyda golau a dillad cynnes. Arhoswch bob hyn a hyn, diffodd y golau a sefyll yn stond am ychydig funudau. Beth gallwch chi ei weld a'i glywed?

Ystlumod

Mae ystlumod yn hedfan wrth ymyl dŵr a chaeau, yn dal pryfed. Sylwch ar eu cyrff tywyll wrth iddyn nhw hofran.

"Whit-tw-hw"

"Whit-tw-hw"

Tylluanod

Mae tylluanod yn hedfan yn isel wrth hela. Gwrandewch ar eu sŵn!

Pryfed

Mae llawer o bryfed yn cael eu denu at olau. Sefwch o dan oleuadau stryd a chlustfeiniwch ar eu hadenydd yn curo.

"Crawc!"

Brogaod a llyffantod

Chwiliwch am frogaod a llyffantod wrth ymyl dŵr, mewn glaswellt gwlyb. Gwrandewch yn astud ar eu crawcian hefyd.

Mae rhai anifeiliaid yn creu eu golau eu hunain. Mewn ambell ardal, efallai gwelwch chi oleuadau bach pryfed tân mewn cloddiau a glaswellt hir.

"Ooooowww"

Mae criciaid yn swnllyd iawn yn y nos. Maen nhw'n gwneud sŵn rhincian drwy rwbio eu hadenydd at ei gilydd yn gyflym iawn.

"Wff"

Cadnoid neu lwynogod

Gall cadnoid fyw mewn trefi ac yn y wlad. Clustfeiniwch am eu cipial (cyfarth) uchel.

Ditectif tortsh

Mae golau llachar yn ffordd hawdd
o ddod o hyd i greaduriaid yn y nos.

Dal gwyfynod

Rhowch hen gynfas dros lein ddillad neu ffens.
Disgleiriwch eich golau arni ac arhoswch. Mae
gwyfynod yn cael eu denu at y golau llachar,
a byddan nhw'n glanio ar y gynfas.

Edrychwch ar yr
amrywiaeth o wyfynod.
Allwch chi adnabod
unrhyw un ohonyn nhw?

Oes unrhyw bryfed
eraill wedi glanio
ar eich cynfas?

Disgleirio'n wyrdd
mae llygaid brogaod.

Mae llygaid cathod
yn disgleirio'n felyn.

Bydd llygaid
llwynogod yn
disgleirio'n goch.

Llygaid llachar

Mae llygaid anifeiliaid
yn adlewyrchu golau.
Disgleiriwch olau dros
laswellt a llwyni. Oes
unrhyw lygaid yn
disgleirio'n ôl?

Llwybrau llysnafedd

Mae malwod a gwlithod yn
gadael llwybrau llysnafeddog a
fydd yn disgleirio yn y golau.
Dilynwch lwybr i ddod o hyd i'r
creadur sydd wedi'i adael.

Rhes o ddotiau yw llwybr malwoden.

Un llinell ddi-dor yw llwybr gwlithen.

Syllu ar y sêr

Ar noson glir, ddigwmwl, edrychwch am sêr, y lleuad a hyd yn oed am blanedau a sêr gwib. Mae'n haws gweld sêr yn bell oddi wrth oleuadau llachar y dref neu'r ddinas. Os ewch chi allan yn y nos, gwnewch yn siŵr fod oedolyn gyda chi.

Bydd y sêr welwch chi'n dibynnu ar le yn y byd rydych chi ac adeg y flwyddyn. Chwiliwch ar-lein am y sêr y dylech chi allu eu gweld ar y noson pan ewch i syllu.

Cytserau
Roedd seryddwyr cynnar yn dychmygu'r sêr fel lluniau o'r enw cytserau. Dyma rai enwog o bob rhan o'r byd.

Seren enfawr o'r enw Betelgeuse yw hon.

Mae Orion fel dyn sy'n dal tarian a chleddyf. Mae wedi'i enwi ar ôl heliwr ym mytholeg Groeg.

Sêr disglair
Sirius yw enw'r seren fwyaf disglair yn yr awyr. Dyma oedd gair y Groegiaid gynt am 'pefrio'.

Mae Seren y Gogledd yn disgleirio uwchben Pegwn y Gogledd, felly mae bob amser yn pwyntio tua'r gogledd.

Mae Seren y Gogledd yn union uwchben blaen yr Aradr, neu'r Sosban.

Yr Aradr, neu'r Sosban

Yn Hemisffer y De mae'r Crux, neu Groes y De, bob amser yn pwyntio tua'r de.

Sut mae syllu ar y sêr
Gwisgwch yn gynnes ac ewch â blanced gyda chi. Dewch o hyd i fan agored, ac eisteddwch neu orweddwch. Yna edrychwch i fyny. Gallwch chi weld mwy o sêr ar ôl diffodd unrhyw oleuadau o'ch amgylch.

Y lleuad

Darn mawr o graig sy'n symud o gwmpas y Ddaear yw'r lleuad. Mae'n edrych fel petai'n disgleirio, ond mewn gwirionedd, yr haul sy'n ei goleuo.

Dyma leuad lawn.

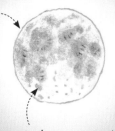

Maria yw enw'r darnau tywyll. Mae'r rhain wedi'u creu gan lafa o echdoriadau folcanig.

Wrth i'r lleuad deithio o gwmpas y Ddaear, mae'r haul yn goleuo rhannau gwahanol ohoni. Gallwch wylio sut mae'r lleuad fel petai'n newid ei siâp gydol y mis.

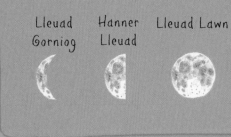

Lleuad Gorniog   Hanner Lleuad   Lleuad Lawn

Planedau

Gallwch chi weld y gwahaniaeth rhwng y planedau a'r sêr achos mae sêr yn pefrio ond dydy'r planedau ddim.

Mae Mawrth yn edrych yn goch.

Mae Iau yn edrych fel seren fawr, lachar.

Mae Gwener yn wyn. Mae'n aml i'w gweld ar y gorwel gyda'r wawr, felly mae'n cael ei galw'n Seren Fore.

Sêr gwib

Creigiau gofod o'r enw meteorynnau yw sêr gwib. Maen nhw'n llosgi yn atmosffer y Ddaear. Maen nhw'n edrych fel llinellau hir gwyn yn yr awyr.

Geirfa

Dyma rai geiriau awyr agored defnyddiol o'r llyfr, rhag ofn nad ydych chi'n gwybod yr ystyr.

altocumulus - cymylau bach gwyn, fflwfflyd.

anifeiliaid gwyllt - anifeiliaid sydd ddim yn anifeiliaid anwes neu'n anifeiliaid fferm.

argae - rhwystr wedi'i godi ar draws afon neu nant i atal y llif.

Celf y Tir - math o gelf sy'n defnyddio deunyddiau naturiol yn unig.

cirrostratus - blanced wen, denau ar draws yr awyr, sy'n gwneud i'r haul edrych yn bŵl.

cirrus - cymylau gwyn, tenau, fel cudynnau o wallt.

cirrocumulus - cymylau pitw bach gwyn a fflwfflyd.

coeden fythwyrdd - coeden sy'n cadw ei dail drwy'r flwyddyn.

coeden golldail - coeden sy'n colli ei dail yn y gaeaf.

cumulonimbus - cymylau storm tal, tywyll sy'n ymestyn fry i'r awyr.

cumulus - cymylau mawr gwyn, fflwfflyd, gyda gwaelod gwastad.

cytser - patrwm o sêr yn awyr y nos.

dipio - defnyddio rhwyd i chwilio am greaduriaid mewn pwll, pwll glan môr neu afon.

heli - dŵr sy'n cynnwys halen, mae mewn moroedd a chefnforoedd.

iglw - lloches draddodiadol wedi'i gwneud o frics o eira wedi'i wasgu.

llanw - y ffordd y mae'r môr yn dod i mewn ac yna'n mynd yn ôl i lawr y traeth yn ystod y dydd.

lleuad - pelen fawr o graig sy'n symud o gwmpas y Ddaear.

lleuad gorniog - pan fydd rhan fach yn unig o'r lleuad wedi'i goleuo yn awyr y nos.

lleuad lawn - pan fydd y lleuad i gyd wedi'i goleuo yn awyr y nos.

lloches ffrâm driongl - lloches wedi'i gwneud o gynfas a rhaff, gydag ochrau ar ongl i gadw'r glaw i ffwrdd.

lloches pen saeth - lloches wedi'i gwneud o gynfas a rhaff gydag un cornel wedi'i glymu at foncyff coeden.

llwybr - llwybr awyr agored wedi'i farcio i bobl ei ddilyn.

llwybrau anwedd - llinellau gwyn yn yr awyr y mae awyrennau'n eu gwneud.

marwor - y rhannau poeth, pefriog o'r tân ar ôl i'r fflamau ddiffodd.

mesurydd glaw - offeryn syml i fesur faint o law sy'n cwympo.

meteoryn - craig ofod.

Morse - cod lle mae llythrennau'r wyddor yn cael eu troi'n gyfres o ddotiau a dashiau o olau neu sain.

neithdar - hylif melys mewn blodau. Mae ieir bach yr haf, gwenyn a phryfed eraill yn bwydo arno.

nimbostratus - cymylau fel blanced drwchus, dywyll.

nosol - anifeiliaid sy'n effro ac yn brysur yn y nos yn unig.

paill - powdr y mae blodau yn ei gynhyrchu.

peillio - y broses lle mae gwenyn, pilipalod a phryfed eraill yn lledaenu paill o flodyn i flodyn. Mae'n gwneud i flodau a hadau dyfu.

pwll glan môr - pwll o ddŵr sy'n casglu ar greigiau ar lan y môr, neu rhyngddyn nhw.

rafft - cwch gwastad o frigau neu foncyffion. Mae'n arnofio ar ddŵr.

semaffor - cod lle mae'r breichiau'n cael eu dal mewn siapiau gwahanol i olygu llythrennau gwahanol i gynrychioli llythrennau unigol.

seren wib - meteoryn (craig ofod) sy'n llosgi yn atmosffer y Ddaear ac yn gadael llinell o olau wrth iddo gwympo.

stratus - blanced wastad olau sydd dros yr awyr.

tanwydd - deunyddiau sych i gynnau tân.

tarpolin - cynfas fawr sy'n dal dŵr o blastig neu gynfas trwchus.

trap olion traed - hambwrdd o dywod neu fwd sy'n dal olion traed creaduriaid sy'n cerdded drosto.

Mynegai

Golygwyd y testun gwreiddiol gan Emily Bone • Deunydd golygyddol ychwanegol gan Jerome Martin

Rheolwr Dylunio: Zoe Wray • Rheolwr Golygu: Jane Chisholm • Triniaeth ddigidol: John Russell

Cyhoeddwyd gan Rily Publications Ltd., Blwch Post 257, Caerffili CF83 9FL
Hawlfraint yr addasiad © Rily Publications Ltd. 2017
Addasiad Cymraeg gan Elin Meek

Mae'r cyhoeddwyr yn cydnabod cefnogaeth ariannol Cyngor Llyfrau Cymru.